young you comics
special pin-up

おいしい関係⑬
CONTENTS

おいしい関係 ⑬

act.51

槇村さとる

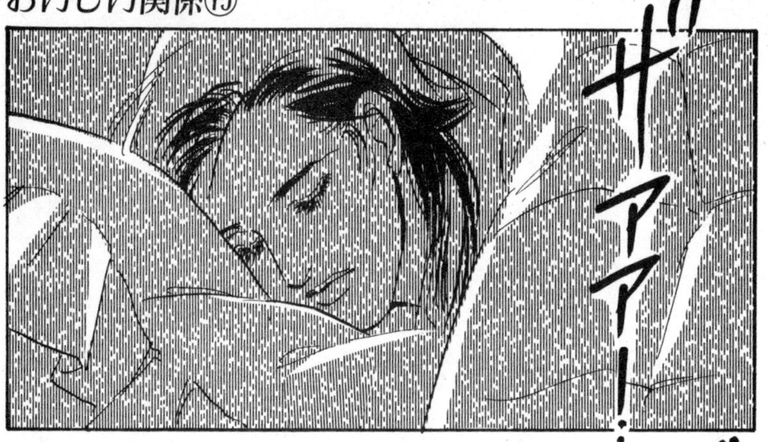
ザアアー!!

ザアア
シャコ
シャコ
シャコ
キュッ

チャリ…
可奈子(かなこ)
行くね
今日は店に
出るの?
仕事——あるから
帰りもちょっと
わからないし
……
うん
わかった
行ってきます
ガチャリ
パタン

こんなことじゃ
ダメ……になる……に

もしもし？
おはよう
ございます
今村です
――実は
風邪をひきまして
ちょっと今日 現場の方へ
行けなくなりまして
申しわけありません
はい
プツッ…
よろしく
お願いします
どうにかしよう！
いつまでも
ゴネてないで
可奈子！
ね？
よし！

はいっ
プチ・ラパンです
プルルルル…
あっ おはよう 百恵ちゃん
ど——ですか—— お店の方は?
うん すんなり やってるよ
お客さんの方も 特に変化は ないね
忘年会 クリスマスも 大体 例年と 同じだし
うん

街は落ちついていて
いい
はい
店がまえといい
シェフといい
ふけば飛ぶような
ウサギだな
心配する程の
こともない
行こう

じゃあ
新年会の
企画立てとくよ
うん!!
ヨロシクー!!

さて———と

プチ・ラパンも
落ちついたし
オーナーは
まじめに
食事療法や
スポーツジムがよいで
早くも3kg
スリムになった

アムールは

開店から
2度目の
クリスマスを
むかえる

アムールの
鴨のコンフィも

プチ・ラパンの
とりのマスタード焼きも
元気だ

高級店も

リーズナブルな
店も有り！

おいしければ！

何度クリスマスを
むかえたら
はっきりと
自分の星が
見えてくるんだろう

ザワ
ザワ
牛のテールをください
はい どれ位の大きさを?

カチ…
ボッ

コト
コト
コト
コト
コト
コト

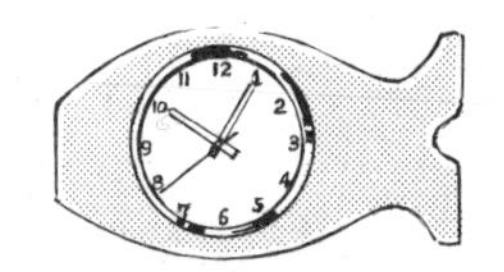

コホン!

この間は
ごめんなさい
仲なおり
しましょう?

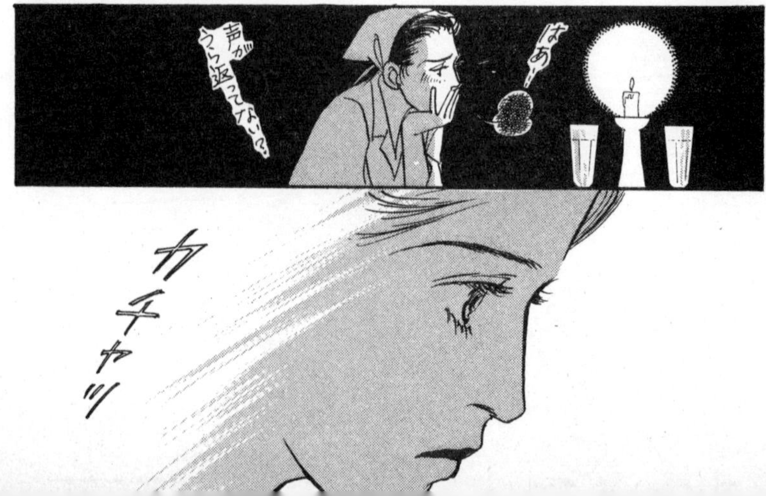
はあ…
声がうら返ってない?
カチャッ

ごはんは？
え？
みんなと
食ったよ

なんだ……
なんだ
――って
……

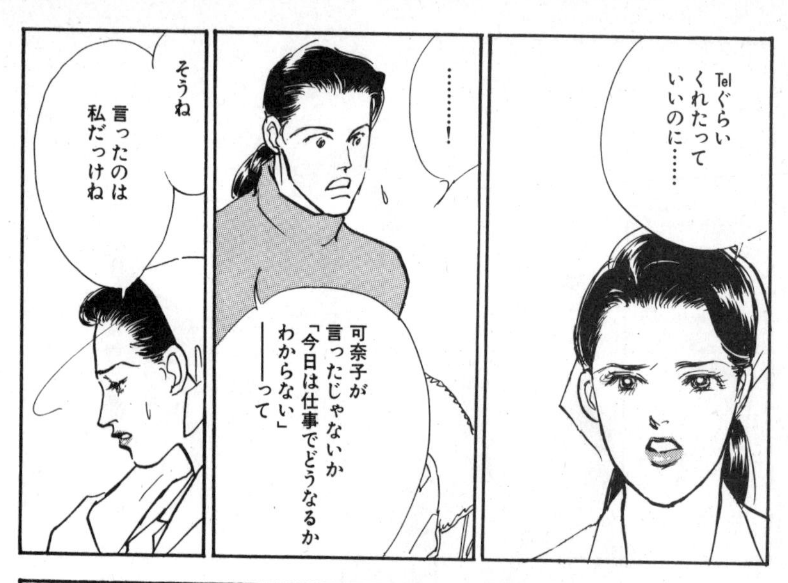
Telぐらい
くれたって
いいのに……
……!
可奈子が
言ったじゃないか
「今日は仕事でどうなるか
わからない」
——って
そうね
言ったのは
私だっけね

そうだよ
こんなしたく
してくれてんだったら
Telくれれば
——
わかった!
私が悪い
私がバカだった
勝手に朝から
メニュー考えて
一人で食べる

食べる
いいわよ
無理しなくても
食べさせて
いただきます

プシッ
おいしい……

この人を
離さない
これから
きちんと
ごはんをつくるわ
なるべく
一緒に食べよ?

カチャ…

離さない
いらっしゃい！

急に
すみません
お元気？
おかげ様で
高橋さんは？
おかげ様で
何とか今年は
乗り切れそうです
すごいわ
のきなみ
高級店は
苦戦している中で
これ
お歳暮
え
うれしい♡

あーっ
いらっしゃーい
可奈子さん
いらっしゃい

多峰さんこれ
チューリップの球根
なんです
原種に近い
もので
質素できれいな
花らしいのよ
友達から
もらったんだけど
多峰さんの方が
きっときれいに
咲かせてくれると思って
……
ありがとう
ございます
わあっ
チューリップ
好き――♡

百恵ちゃん
はい
ちょっと いい?
時間――

織田に
手を出さないで
欲しいの

あの人は私のものだから

あの………
聞きたいんですけど
織田さんが言ったんですか？
例えばぁ〜〜〜
「百恵ちゃんが好きだ」
とか？
言いっこ
ないですよね？
そんなこと
あるはずない
だって――
織田さんは
可奈子さんのこと
すごく愛してるじゃ
ないですか

そうやって
いつもいい娘ぶって
織田の前を
チラチラ横切るのは
やめてちょうだい
迷惑だから
あの人と一緒に行くのは私
あの人と一緒に生活するのは私
あの人の食事をつくるのは私よ！
あっかあああ～～

なんなの今の!?
なんなのあいつ!?
なんなの私は!?
おつかしいんじゃ
ないの!?
私が織田さんと
何したっての!?
え? え? え? え?
え? え?
なら私
取るよ!?
可奈子さん
織田さんと
うまくいって
ないの!?
私だって
好きだもの!!

ずうっと
好きだよ
はじめて会った
時からたぶん！
はたちの時から
ずう──っと
尊敬してるよ
癒されたよ
迷惑かけて
かけられて
頼りにしてるよ！
カクッ
私 織田さんが
好きだもん!!
ペタッ
どうした

球根
そこに植えるから
どいて

…
好きという感情を
持っていたって
ただ それだけなんだ

私が好きだと伝えて
相手も好きだという時にだけ
「好き」っていう関係が成り立つんだもの
私は告白もできないで
可奈子さんと一緒で幸せそうな織田さんを見たらもう何も――言えないんだもの
それが今の私の精一杯なんだもの…
手伝う………

弱虫だけど
きちっとしよう
へんな誤解を
受けないように
注意しよう
ポン
ポン
春には咲くよ
うん
チューリップは
咲くけど——

じゃ
戸締まり
よろしくね
お先に！
は――――い
おつかれ様でした

パタ…

い――よな――
織田さん
毎日 可奈子さんの
手づくり夕ごはん
なんてさ――
ラブラブですね
黙って食え

お味は
いかがでしたか？
すっごく
おいしかった
やっぱり
自分でつくるのとは
決定的に
ちがいますね

彼氏はそうは思ってない―――

ごゆっくり

彼女がつくってくれたものを充分おいしいと思ってる

あの人の食事をつくるのは私よ

はいはい私だって織田さんにつくってあげたいですよ―――

織田さんのためにはじめてつくったのはごはんと―――しょっぱいミソ汁は切れてないワカメ入りで

目玉焼きはコゲコゲでポテトサラダは水っぽかった

今なら フルコースをつくってあげられるのに

!
ちがうぞ?
織田さんが
好きなものを
つくらなきゃ
おいしいとは
思ってくれないよ
織田さんが好きな——
——キャベツだキャベツ
ボン!
ロール
キャベツ
キャベツとアンチョビのパスタ
ポトフ
キャベツと干しエビの煮ものとか
今なら
カリフラワーのソースいため
生のカリフラワーサラダ
じゃがいもと一緒にグラタン
あ——
織田さんの笑顔が
目に浮かぶ

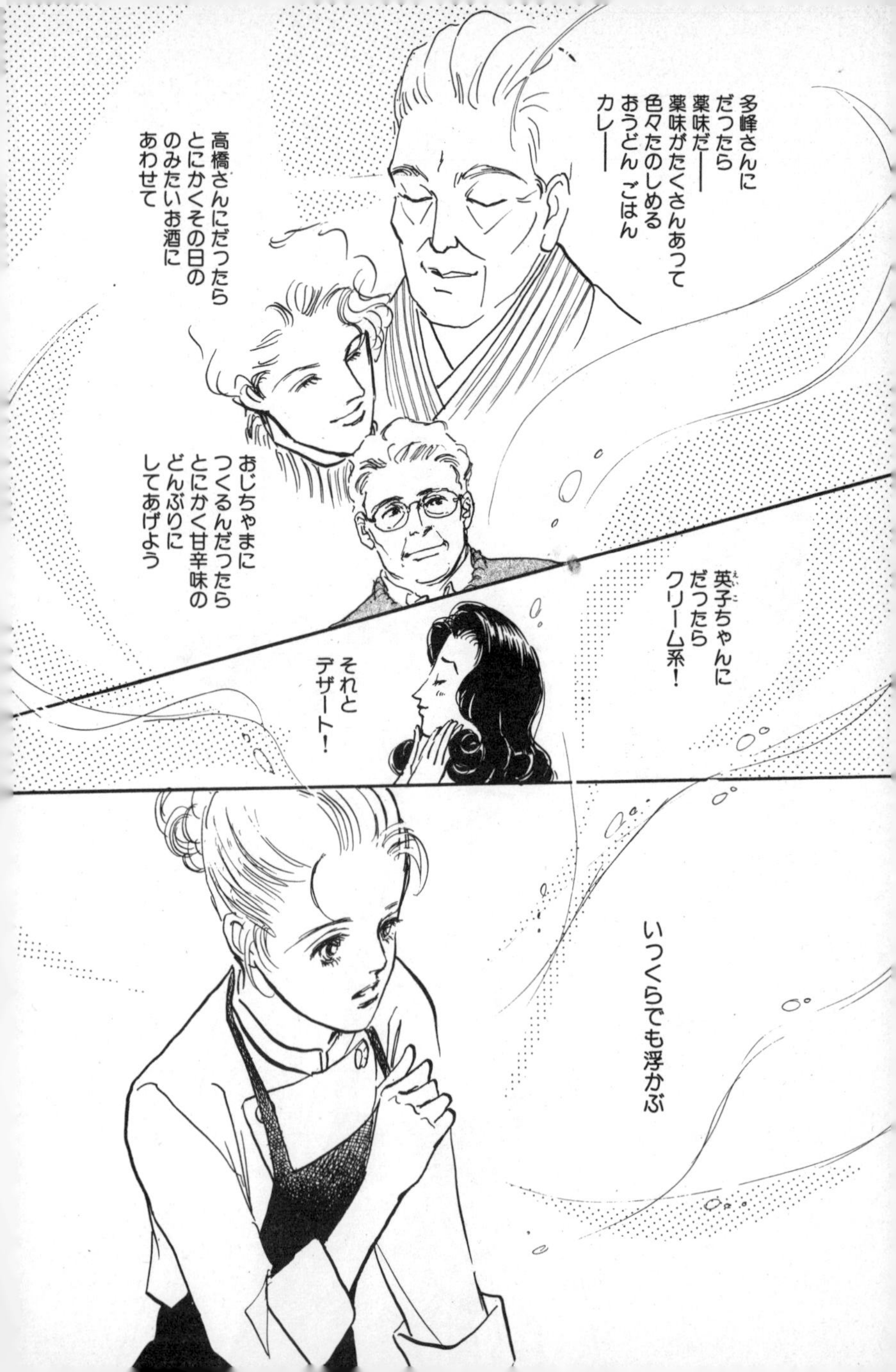
多峰さんに
だったら
薬味だ――
薬味がたくさんあって
色々たのしめる
おうどん ごはん
カレー――
高橋さんにだったら
とにかくその日の
のみたいお酒に
あわせて
おじちゃまに
つくるんだったら
とにかく甘辛味の
どんぶりに
してあげよう
英子ちゃんに
だったら
クリーム系!
それと
デザート!
いっくらでも浮かぶ

ドキ
ドキ
ドキ
ドキ
おつかれさまでした──っ
よい年を
来年もよろしくね──
オーッ
カチャ…

どうしたの？
遅かったじゃない
ああ
仕事おさめだから
みんなと
飲んできた

私
離れないから
――

さあっ
紅白見ながら
一気におせちを
つくりますよっ
新しい年は
何か新しいものが
つくれるかも!!
「おいしい関係」act.51—おわり—

おいしい関係
act. 52

なんで?
なんでこんなに大胆で華麗ですごいの!?
このスズキの皮のとこのパリパリ感とオリーブオイルがしみたところのねっとり感
バジルの香りとイカの甘みの絶妙さ――!!
なんで!?
うるさいヤツ

え〜〜〜
そりゃ……
天才だから？
天才って
説明できない人の
ことだったよね
聞いた私が
バカでした
あ——
おいしい

怒りながら
食べないでよ
おいしいったら
おいしい！

男の人のつくる料理って
時々——
戦争してるんじゃないか
って思うくらいだ
材料と格闘したり
客を挑発したり

客もまた
その挑発を
受けに来る――
みたいなとこがあって
今日こそ
これとあれを
組みあわせて
ワインはあれ開けて
食ってやる
ふっふっふっ
レストランは
スタジアムか?

料理をつかって
争ったり
競ったりする感覚が
私にはないみたいで
それって
プロとして
致命的――

がく!!
かー
もしれないけど!!
?

私は好きな人に
食べて欲しくて
つくるんだもんね
ガシ
ガッ
ガッ
ガシッ
ガシッ
ガシッ
それだったら
まけないもんね

好きな人に
──
織田に近づかないで
うまくいってないんだ
織田は私のものだから

何考えてんだ
私は──

火強い！
と！
すみません
どうしたの？
1分
頭ひやして
きます
！

ダメに決まってるのに
告げられるか?
ここまでせっせと
つないできた
織田さんとの関係を
ぶっこわせる?
NOだ……

コン
コン
STAFF
藤原さん電話ですここおいとくね
はーーい
おまたせしました藤原です
おう
あ
俺！織田！

来週の
「プチ・ラパン」と「銀寿司」の
合同新年会の話
木村から聞いた?
あ! はい
大体
おちつけ
おちつけ
「木村のプチ・ラパン」も
うまくいってる
みたいだし
オーナーも頑張ってるし
みんなで金出して
オーナーに何か
プレゼントしようか
あっ
それ
最高!!

あっあっ
でも私
もしかしたら
行けないかも
え?
そうなの?

ぐらあ。。。
あああ
引き裂かれる
行きたいんです
行きたいの
でも……!
遅れても
いいから
来いよ

行つたら
織田さんに
会つちゃうじゃ
ないですか――
なっ なるべく
行けるように
がんばります
はいっ
じゃ
失礼します
へな～～～
百恵ちゃん
へん
じ～っ
どき
なんか
すごくへんで
目がはなせない

はい
ヘンなのは
わかってます

春風苑
お母さんの場合——
可奈子さんの方は？どうですか？
ええ！
冬のうちは小康状態を保つパターンだから心配ないでしょう
何もかも文句のつけようがないっていうか
彼の店はこの不況下でも順調そのものですし
あ！今度料理の写真集が出るんです佐野先生にもお送りします

彼は理解がある人ですから
私も仕事を続けられるし
幸せって──こういうことなんですね
あ……そろそろ失礼します
へたくそですけど毎日夕食をつくってるんです
……
あんまり……頑張りすぎないようにね
大丈夫です

コツ
コツ
コツ
コツ
もう2月だけど
鮨
新年あけまして
おめでとう
「銀」と「プチ・ラパン」にとって
よい年でありますように！
プチ・ラパンの前途は
木村くんに
任せて安心！
今年もよろしく
わい
わい
カンパーイ
あー
英子ちゃーん
こんばんは――

え——
郁生が
よぶから——
いらっしゃい
あ——
こんばんは——
今年も
よろしく——
郁生くんと
つづいてるんだ

そんなんじゃ
ないわよ
ただの友達！
私の理想は
今はねえ
才能があって
責任感があって
やさしい男よ！
それって
郁生くんの
ことじゃん
ん…まいっ
ごほっ
げほっ
げほっ
大丈夫？
放っといて
ケホ
ガラッ
こんばんは——

おう
来てたのか
………
来てたのかって
織田さんの方こそ
ど遅刻
色々とね
自分の
店ってのは
大変なの

人のお店で
働くのだって
大変だよ
腕がありゃ
へ――きだ
そんなの
つまんない口を
きいちゃう
織田くん
織田くん
おめでとう

会ってるのに
ちっとも
言葉を
かけられなくて
アハハハハ
何も話せなくて

私が私でなくなっちゃう
カチャ
ただ今

起きてたの?
2時には戻るって言ったのに——
もう30分もすぎてる
みんな元気だった?
ああ
百恵ちゃんも来てたの?
来てたよ
だから?

おやすみ
本日はパーティーのため
貸切となっております
レストラン アムール

はあ〜〜…
わくわくしますね「新世紀のシェフ」の出版記念パーティーなんてあの本にのってるすごいシェフたちみんな来るんですよね
すごい人達がアムールの料理食べるんだもの
本日はパーティーのため貸切となっております アムール
試練よね
はあ…
会わない方がいいのにキチッとしなくちゃいけないのに
ぶつぶつ
こーゆー時に限ってしょっ中会わなきゃならないなんて

かくれてよう
見ちゃうとせつないしな
ぶちっ
ぶちっ

何やってんだ
バカ
それが料理する
姿勢か！
ひえっ
会うたびに
少しはマシに
なってろ
はいっ
どうしたんだ
ははは
?
ちょっと…
自分スランプで
……

アッハッハ
アハハハ
お飲みものは
あちらになって
おります
あ
ニヘラ

へん 百恵ちゃん
カくっ
しゅん・・・
2人分切って下さる？
はい！
・・・

ザワ…
百恵ちゃん
2階の寝室
あけて！
千代ばあ

食べたものを
もどした
薫
大丈夫だから
……………
白い手――
わし 医者!
白い 白い――
どんどん冷たくなる――
ガサ
千代ばあ
帯ほどくね
ガンガン
ガン

うん——
大丈夫ですね
血圧も異常ないし
でも用心なさって
今日はもう
休まれた方が
よろしいですよ

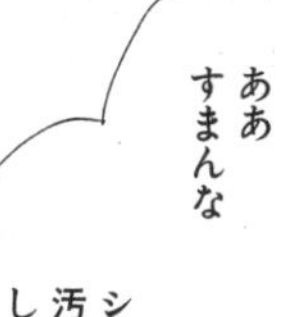
ああ
すまんな

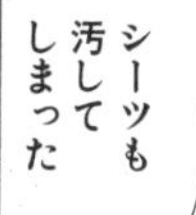
シーツも
汚して
しまった

僕が送りますから
会が終わるまで
寝てて下さい

きっ

うん
百恵
水くれ

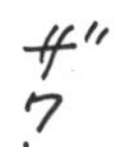
ザワ…

正直言ったら
フレンチは
もう食うのも大変なんだ
年とるとな………
フレンチ食うのと
恋愛は
出来んな
若くて
エネルギーがあって
充実しとらんと
そんなこと………
死は特別
怖かない

千代ばあ！
だがまだ
死ねん
おまえに
秘密を
教えてやる

おまえと
はじめて会った時
「こんなのが
一人前のシェフに
なれたら
逆立ちして
踊ってやる」と
言ってしまったんだ
だから
このごろ
腕立てふせを
寝る前に
している

ぶ――うっ
ニッ

あはは
そーだよね
絶対 不可能だと
思うよね――
あーははは
おまえは
本当によくやってる
ぽろ
ぽろ
ぽろ
ぽろ

やだ
千代ばあ
死んじゃやだ!!
おいてっちゃ
いやだ
私を
ひとりにしちゃ
イヤだ!!
うわあああん
まだいかんて
百恵……
明日なんて
だれにあって
だれにないのか
わかりやしない
皆が等しく
持っているのは
「今」だけだ――

自分を殺すな
自分を活かせ
それが今を生きるということだ

パタ…
チャ…

どう？

うん
おちついた
大丈夫

こっちの心臓が
止まるかと思った
うん……！

「おいしい関係」act. 52ーおわりー

おいしい関係

act. 53

織田さんになら
打ち明けられる
織田さんになら
知って欲しい

私の一番大事な気持ちを
ああ

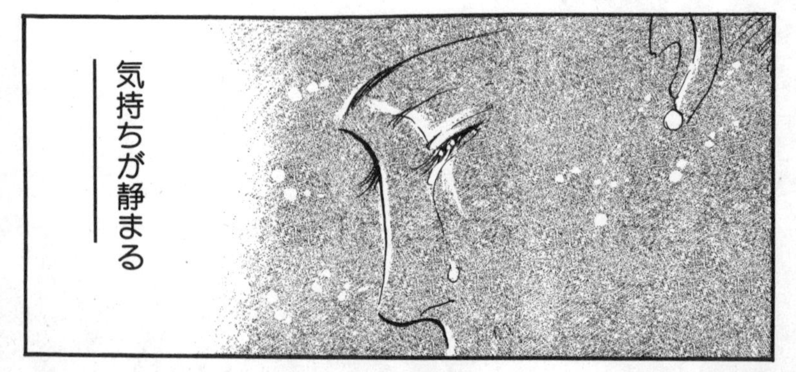
気持ちが静まる

ずう…
ハナミズ……
かあぁ～あ
いっちょうらなのに～～
ゴシゴシ
いいって
あ……

カツ
え
可奈子さ……

もう
ごまかすことない
タッ
私はもう迷ってない
可奈子さん

私は織田さんが好き！
ザワ
ザワ
可奈子さんに
言って
どーーする？
ドキ
おちつけ
ドキ
ドキ

可奈子さん
すごい顔
してたよ

すまない
──
彼女
藤原に対して
コンプレックスを
持ちすぎて
るんだ
俺とお前の仲を
うたがってる
何もないのにな
ぎりゅうう…
そう………

きちんと
言っとくから
ばあさん
見舞ったら
帰るわ
織田さんが
好き――

やっと
落ちついた
私 今夜は
千代ばあのとこ
泊まるから
大丈夫だって
年寄りあつかい
するな
泊まる！
ブロロロ…
お大事に
おやすみなさい

千代ばあ
寒くない？
スゥ…
眠ってる
いつも
元気な顔しか
俺達に
見せないけど
もう80だからね
うん……
自分を活かせ
それが生きると
いうことだ

可奈子さんも
具合が悪そうで
先に帰ったんだよ
そう

なんだか感じが
変わったね彼女
前から
自分のそばに
他人を
近づけない人
だったけど
それなりに
気をつかって
距離をキッチリ取って
……
りりしさや
さわやかさに
なってたけど
今は
閉じてるっていうか
……
閉じてる…
私が閉じちゃう時って
自信がない時
自分のことしか
考えられない時
……だな

そうだとしたら
織田の努力が
足りないね
女の人を
ゆったりさせられなくて
何が男だ――つうの
それは
高橋さんの
モットーですね?
ぷ
……
だれだって
愛する人には
安心して
もらいたいじゃないか
男でも女でも
ゆったりして
くれたら
嬉しいし

チラ…
織田は――
そういうの
とんとわからない
奴だからな

うといですよォ
あの人は
あはっは!

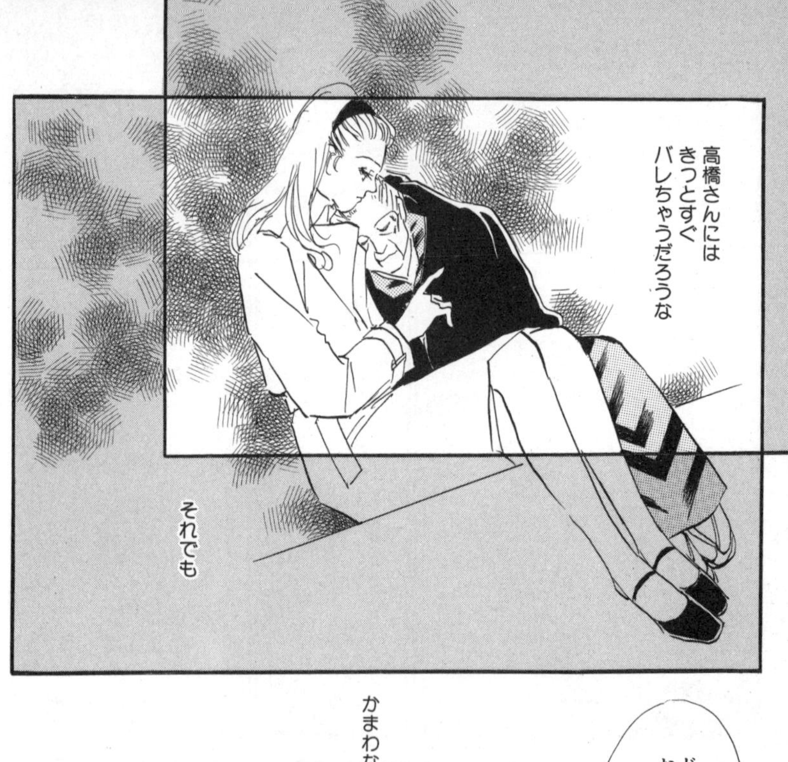
高橋さんには
きつとすぐ
バレちゃうだろうな
それでも

かまわない
じゃあ先生
おやすみなさい
ああ めいわくを
かけたな
すまなかった

百恵ちゃん
明日は
ゆっくりの出勤で
かまわないから
先生のお世話してあげて
はい
だれも傷つかないって
訳にはいかない
でもそれが
生きて行くって
ことだよね

おつかれさま
おやすみなさい
ブロロロロロロロ
傷ついても――いい

伝えよう

カチャ……ン
あなたは
自分の気持ちが
ちっとも
わかってない
百恵ちゃんが
好きなクセに

俺は
この話になると
自分がカヤの外に
いる気がする
いっそ
藤原のことを
本当に好きだったら
この話に
ついていけるのにと
思うよ
THREE PORTIONS

可奈子が
勝手に
藤原を
意識するだけで
俺のことは
考えてない
俺は
可奈子と
向きあってる
つもりなのに
THREE PORTIONS

今日の態度は
何なんだ？
藤原を
びっくりさせたぞ
目を丸くしてた
あとで
謝って
おけよ
あの娘――
したたかなのよ
料理の腕は
あやふやでも
人の気持ちを
操作するのは
うまいのよ

どうふるまえば
相手のふところに
すっと入れるか
知ってる
幸せに育って
何の挫折も
知らない
愛されない
苦しさも不安も
味わったことも
ないのよ
自然に人に
なついていく
まぶしい――
だれが見たって
ひかれる
それが？
だとしたって
可奈子と
何の関係が
あるんだ！
あるわよ
何もない!!
…………
THREE PORTIONS
THREE PORTIONS

あの娘
私にあなたを
取られたと思って
憎んでるのよ

バサッ
以前も今も
何も思ってない！
今後この話は
一切やめよう
くだらない！

そうやって……
無神経に
私を傷つける
あなた……
味はわかるくせに
人の気持ちは
ちっとも
わからないのよ

愛してるのは
料理だけで
私のことなんか
都合のいい
ビジネス
パートナー
ぐらいにしか
思ってないのよ
PORTIONS

出ていくの？
出ていったら
セルドールは
つぶすわよ

私から離れたら
死ぬから……

どうして
こうなったのか
頭を冷やして
考える
これで終わり――なの?
可奈子……
君のことを
ビジネスパートナー
だなんて
考えたことも
なかったよ

パタン…
千代ばあ
おかゆたけたよ——
ほ——い

ここのところ
忙しくしてたから
白菜を漬けるヒマが
ない
よいしょ
手伝うよ?
重いし大変でしょ?
今日はゆっくり
出勤でいいって
お許しもらってるし

そうか?
じゃあ
やるかな
キラ々
うん

よかった
本当にただの
胃腸の疲れで
だから
言ったじゃないか
でも精密検査は
してね?
人間ドックとか
ギク
こわいんだったら
一緒に行って
あげる
ね?
ん～～～んん
プルルルルッ

はい 織田でございます

おはようございます 圭二(けいじ)です

!

あ!

藤原です おはようございます 昨日 泊まったんです

ふっ ふっ

ああ… すみません お世話かけて どう?

すっかりいいみたい 今日はキムチの下漬けするって

何だ その元気は!? やめて欲しい 無鉄砲は!

はっはっは

織田さん！
ん？
千代ばあ
織田さんから電話でーす
時間下さい
会いたいんです
え……
えーーっ
何でホテル住まい
なのォーー？
ちょっとね
新しい
メニュー
考えようと
可奈子さんに
追い出され
たんだーー
図星かぁ…

織田さん
女心に
うといからなァ
………
・・・・・

わかってるよ
わかってる
わかって
るってば
それなり
にな……
頑張っては
いるんだけど
むずかしい！

うん！
昔から
比べたら
格段の進歩を
とげてると思う
ガク。。
——で
何話って
うん！　私ね

織田さんが
好き!

好き!
パタ
パタ
パタ

好き！
好き！
好き！
私を雇って下さい
料理大好き！

何だって
「好き」から
始まるんだもんね
「おいしい関係」act.53ーおわりー

おいしい関係
act. 54

好き!
わあああ
言っちゃった
言ってしまった
カァァァァァ…
おまえ
――って
マジ?
男として?

男として――!!
ぼんっ
コク コク
……
ポー…

あ〜〜〜
赤くなった〜〜〜
はじめて見た〜〜〜〜!!
赤くなるな
オレ!
どきん
どきん
どきん
どきん
織田さんは?
織田さんは?
織田さんは?
私のこと好き?
俺は
くっ
笑うな オレ…
おまえのことを
女として
意識した
ことがない
パラ
パラ

ぽろ…
ごめん
ひどい言い方だった
すまん
女なのは
知ってる！
〜〜〜
ちょっと
まってて
大丈夫
そんなの
わかってたの
ただホントに
聞くと
圧倒的に
ショックだった
！

今はじめて意識した
え……
ずびっ…
やつた——
告白したかいがあつた——
はじめて会った時のこと思い出した
おまえこーんな短いスカートはいてて本屋で——
あれは女に見えたかわいいと思ったな一瞬な
え——え——ホント!?
私もそう思った織田さんのことステキッ——って
よせ

でも
それっきり
その次に会った時は
〝出来の悪い見習い〟
だったし
あれから何年たつよ
もう
好きとか嫌いじゃない
関係が出来てる
今更――って
いったら
また泣くか？
好きでも
嫌いでもない――
最悪だ――
俺なんかと
一緒にいたって
面白くないよ
きゅん
面白いとか
楽しいとか
――
そんなの
別にいーの
どーでも

織田さんといると
ほこほこするの……
それが私には
すごく大事な
ことなの
俺も
ほこほこ
するよ
でも
俺には
可奈子が
いる

可奈子さん
幸せそうに見えない
そう見えない

それは
別の問題だろ
そう――
だよね
じゃあな～
ほーい

玉砕
女に見えない
かあ……

好き！
ほこほこする！
可奈子さん
幸せそうに
見えない

おはようございまーーす
おう
どうだった?
え!!
千代先生
あっ元気元気です
もう野良仕事してます

そうありがとう
ニコッ
ーーでどうだった?
織田は

このシトは……
キラ
キラ
?

ちっとも
意識されてない
話にならない
──って
カンジで
アハハハ
自分が
こわかった
エゴ丸出しで
可奈子さんの
悪口がドロドロ
口から出て来そうで
止まらなく
なりそうで
可奈子さんのことと
私のことは
別のことなのに

キレイごと
言っちゃって

ガシッ

織田と可奈子さんが
うまくいってようが
いまいが
自分の欲求を
つきつけて
ねじこんでいくって
ことは
あの2人が
例えこわれたと
してもかまわないって
覚悟あった
はずでしょ?
今更
つまんないこと
言うんじゃ
ないよ

ぐっ…
大体
「愛しちゃう」ってのは
手におえない
感情のことでしょ
相手を物のように
所有したいと思ったり
嫉妬したり
自分とは
ちがう人間なのに
どかどか踏みこんで
変えたいと思ったり
犯罪スレスレ
ドロドロ
ぐちゃぐちゃなもの
キレイなもの
なんかじゃないよ
それを受け入れ
られないなら
やめろ！

やめないもん！
今日はじめて「女って意識した」って言ったもん

ダメだね 一発で女だ！って認識されなきゃ
私たちには師匠と弟子って事情があったんだもん！
これからよ！

男の言質をとって頼みにして希望をつなぐ？
惚れてるね 恋だよ
愚かだ
愚かでいーです！

言ったね
じゃあ せいぜい 頑張れば？

もう
みっともない失敗に 恥かいて汗かいて 無駄して
ばかばかしいと 思っても………
ありがとうございました

消せない情熱
あるいは錯覚
錯覚……?
恋なんて錯覚だよ

そう……かもね
「幸せ」って思う時
おいしいって
思う時と
似てる
一瞬なの
でも絶対なの
だからまた
——って思う
おやすみなさい
何言ってんだ
俺は——
百恵ちゃんの
一番キレイな気持ちに
すがって助けられた
くせに

ただ今
おかえりなさい

帰って来たなら
許してあげる
可奈子さん
幸せそうに
見えない
好き！
今日
藤原に
会ったよ

彼女に何か
言ったの？
「織田は私のもの」って
私には言う権利が
あるわ
何で
ありもしない関係に
怯えるんだ

愛してるからよ!!
他に理由なんかある?
愛してるからよ

俺は――
わからない
そう思ってた
だからこそ
守ろうとした
でも
ちがうのかも
しれない
ただ寒くて――
一緒にいたかった
だけかもしれない

それが――
愛でしょう?
寂しさが
うまって――
愛でしょ?

愛してるって
言って
言ってよ
言ってくれなきゃ
許さない
あなたが一番
大切にしてるものを
こわすわよ
可奈子……

共同経営
なんだから
私が手を引いたら
やめろ!
店を
つぶす時は
自分でつぶす
……
冗談よ
つぶすわけ
ないじゃない

一生懸命
つくった店よ
苦労して
探して
借金して
何枚も何枚も
図面ひいて――
2人で一晩中
朝まで――
カーテンの色
椅子の生地
カトラリーを
とりよせて
死ぬ程
試作を
くりかえして
胃を
こわして
開店した時にはもう――
東京で一番
風格のある店
最高の味
ワイン
サーヴィス
どこにも
こんな店
……
可奈子
可奈子!!

何で泣いてるの?
泣かないで
泣かないで
私のお部屋
行こう?
ね?

このままじゃ
お互いに
良いことは何もないよ
可奈子
別れよう

いや
いやー!!

今まで
まあるくきれいに
整つてた関係が
ギシギシと
ゆれていく
コシ
コシ
コシ
コシ
コシ
怖い――

でも！
パンッ！
何度玉砕したって
ぶつかるもんね！
はいっ
「おいしい関係」act.54ーおわりー

愛しているからよ!!
ほこほこする

menu

soupe à l'aïoli
poule au riz et au safran
fromage frais
tisane de sauge
et de citron

おいしい関係

act. 55

自分以外の人間を
好きになるって
とっても不思議なココロモチ
ふわりと
浮いたような
浮いているけど
相手につながって
止めつけられて
いるような

現実には
どっこもつながってないし
お互い好きあってる
訳でもないのに
私の意識は
どんどん織田さんを
つかまえようとする
これからはいつも
こんな風に私の中に
織田さんが棲むんだろう
ふわふわと――
ま
仕事も頑張る!! と
うん

おはようございます
あ！
今来ましたかわります
百恵ちゃん千代先生
はいっ
おはようございます百恵です！
おう訊きたいコトがある
はい
圭二と可奈子さんは何かあったのか
へ？
どうかしたんですか？
どきどきどきどき

いや――
いや……
知らないなら
い――んだ別に
あっフフフ
その言い方って
すっごい気に
なりますう

あ――
知らないなら
い――んだ
すまなかった
じゃあな
プチッ
あ――
千代ばあっの
いけず~~~~

何があつたの？
織田さんに何か
あつたの？
知りたいっっ
電話しちゃ
ヘンかな？
ヘンよね
可奈子さんが
出たら
まずいし~~~
あう~~~っっ
仕事が
手につかなぁあい!!

この段ボールで
全部ですね？
はい
よろしく
お願いします
バカラのグラスは？
2人で買った…

どう処分して
くれてもいいよ
俺には必要ないから
もう……
じゃ……
──といっても
午後には店に
出るけど
店も──
たたむのも
続けるのも
可奈子に任せる
決めていい
とにかく料理の方は
キチンとやる
キャー
ワハハ

元気で
パタン…

ゆーた…
帽子かぶって!
かしてあげなさい
お兄ちゃんなんだから!
ベーっ
わあぁん!
ピタ…

タイマーなんていらないって！料理はカンでやるの！
プロはそうでしょうけど私には必要なの！
ピピピッ
ピピピッ

プツ
仕事――
しよう
プルルルッ
プルルルッ
プルルルッ
ピー
あ〜〜〜〜っと
お早うございます
織田さん可奈子さん
藤原です
仕事…
はい 今村でございます
ただ今 留守にしております
メッセージをお入れ下さい
ありがとうございました

さっき千代先生からへんな電話がかかってきて
ちっとも要領をえなくて でも何かあったのかって心配なさってて……
私も心配にちょっとなりましたです——
——というこことでしたァ
え——しり切れですが失礼します
プツッ
ピ——ッ

カチッ
ピーーッ
コン!

仔犬に負けたわけだ——
私が

こわくなんかないわ
あんたたちのことはよく知ってる
いつだって私も一緒にいたものね

はあ・・・
あ〜片想いって
無力だ
織田さ〜〜〜ん
何してるんだよ――っ
心配だよ――ん
可奈子さんが
でなくて
よかった〜〜
ぱち!
――けど
仕事だ!!
ジャ〜〜ン!!
本日のデザートは!
マスカルポーネの
ムース
ミルフィーユ風♡♡

かわいい
おいしい
です
ウ◯コみたい
やさしい味

うふふ♡
連日満席で
みなさま
ちょっとお疲れかと
思いまして
やさしく仕上げて
みました
まかないは
みんなの健康の基本
シェフ百恵に
お任せ下さい

夏が来る前に
サムゲタンとかも
食べましょうね
バッと汗かいて
夏むきの体に
しとくと楽だから
いーね
女のシェフの料理って
カンジ

ケラケラッ
おっかさんの料理?
百恵ちゃんも そろそろ 自分の店を はじめたいでしょうね
ドキッ
そうかな
普通 シェフなら 考えるでしょう
パラ・・
できるかな

できると思いますよ
本人は
自分に腕がないって
思いこんでますが
実際
彼女が今までいた環境は
すごいですから
その中じゃ のろまなのは
確かですが——
この店から
外に出たら
はっきり
わかりますよ

……

高橋さんは
百恵ちゃんが
かわいくて
仕方ないから——
くすっ

かわいいなら――
一人立ちさせて
やりなさいよ
あの娘は自分達とは
ちがう――
これからのシェフ
ですから
カラリーン
こんばんは
いらっしゃいませ池内様
お待ちしておりました
LE SEL D'OR
LE SEL D'OR
RESTRANT

今夜は
大切なお客様なので
ぜひ織田さんの店で
――って
ありがとう
ございます
ヒソ ヒソ
ステキな女性でしょう?
フードコーディネーターの
今村可奈子さん
織田シェフの
パートナーでらして――
ほんとステキなカップルなの
また ここの
お料理ときたら!
もうこれは
食べていただかないとね
お酒はあまり
お強くないようなので
シャンペンで
お魚まで
通して
ボジョレーを
おすすめ
しようと思うの
うん
わかった
うずらを
食べられるか
きいといてくれる?

やり直すチャンスは
あるかもしれない

林さん 明日から ストーブ前 お願いします
は!
え?
前田2番に上がって
コールドは 下に 回して
わ わ!
織田さん どうしたん ですか
何か ―
セルドールを 店として かためたいんです
織田のセルドール というのではなく 「ただの うまい店セルドール」という 姿にするのが理想です

はい！
店を――？
やめる気なの？

ソーテルヌ
一本
出して下さい
すっ
希望は――
ないの――――ね？

どき
どき
どき
おつかれ様――
おつかれ様でした
見た感じ
――
元気そうじゃん
織田さん
……も
可奈子さんも
……
何やってんだろう私……
診療所
山本ビ

帰ろ……
とにかく
病気とかじゃなくて
良かった……
ビル

もしもーし
千代ばあですかぁ
百恵でーーす
織田さん
どうしたの？
どうしたも
こうしたも
今朝いきなり
荷物を送りつけて
きやがって
ポスー！
荷物？
可奈子さんの
マンションを出て
うちへ来るんだと！
ああ
今朝は
すまなかったな
うん
別居だとさ
もうだめだと

別居——って……
別れたって…コト？
よくはわからない
あれのロベタは
貝並みだからな
はは…
男女のことは
こっちから聞くのも
ヘンなもんだし
そだね…
可奈子さんと別れた——

別れた!!
もう織田さんは
フリーーー!!
いやったーー

――――って
ことじゃないか
…………
うれしいんだか
悲しいんだか
だんだらの
マーブルみたいで
フクザツ――――

別れたんだとしたって……
ぷぁ～…
人と別れるって
別々の場所にいるから
別れたってことじゃないもんな
事故でどうしようもない
別れでも
自分で決心した
別れだって
辛いんだもん
自分から求めて
関わった人と別れるのは
キツイ――
ほんとうに
ほんとうに
「ああ昔そんなこと
あったな……」って
思えるまでには
すごい時間がかかる

今日のデザートは
失敗
ココアとカスタードの
クリーム
なんですけどォ
このチョコレートの
マーブルが……
きたない
おいしいです
どうしたの?

すみません
織田さん――
辛いだろうな…
……

わがままなお願いではずかしいんだけど

そりゃ可奈子がうちに戻ってくれれば嬉しいけどね……
がんばるわ！初心に戻って何だってやる！
断るわ
ガーン

今——
みんな芽が出てるのよ
サッちゃんも北島も
それぞれの
個性にあった
仕事を
受けてるし
今更
昔のカタチに
事務所戻して
可奈子をむかえても
ちょっと違和感ある
もう……
私なんて
いらないって
言うの?
そう
迷惑
居なくても
大丈夫
その方が
若い子が
頑張れる

可奈子――
きついでしょうけど
聞いて?
あなた今
良くない
疲れてる
織田さんとのことは
ほんとうにとことん
やったの?
スッキリしてるの?

それは…
何だか
そんな風には
見えないのよ

仕事を口実に
逃げてない?
ちがう?

カタ・・・
可奈子!
苦しい時にバタバタ動いてはダメ!
休養して
心配なのよ!
コンコン
はい
失礼します
社長
アポイントなしのお客様がお見えになっていますが……

断れ
はい

……

誰?
はい
今村可奈子さんです

待たせとけ
はい

申しわけありません
お約束もなしで
どうしたんですか？
顔色がとても
悪いですよ
すみません……
へんな方だ
何で
謝るんです

レストランチェーン
「ブランシュ」は
軌道にのって
順調に店舗を
全国に展開していますよ
あの時は
お世話になりました
桜町のプチ・ラパンの
買収にも協力して
いただいたそうですね
まあ——
うまくはいかなかった
けれど
それはそれで
手は打ちました

――で
ご用件は？
私に――
仕事を下さい！

ガラッ
織田
千代ばぁ
遊びに来たよ
――っ

おう
いいとこ来た
ワイ
ワイ
今 キムチを
分けてるんだ
手伝え
うん

織田さんは?
ソラマメ
ゆでるって
いってたから
――

ダッ
織田さ――ん

おう!
まぶしくて涙出そう
可奈子さんにフラれたんだって?
るせーなソラマメむけっ
はいっ
「おいしい関係」act.55—おわり—

ヤングユーコミックス

おいしい関係⑬

1998年10月24日　第1刷発行

著者　槇村さとる

編集　株式会社 創美社
〒101-0051 東京都千代田区神田神保町3－9
第一丸三ビル
電話 03(3288)9823

発行人　後藤広喜

発行所　株式会社 集英社
〒101-8050 東京都千代田区一ツ橋2－5－10
電話 編集 03(3230)6261
販売 03(3230)6393
制作 03(3230)6076

印刷所　凸版印刷株式会社
Printed in Japan

ISBN4-08-864392-5 C9979